Cwtsho!

Sarah Kilbride a James Munro

Mae'r llyfr hyfryd hwn yn
eiddo i

. . . .

GRAFFEG

Yn fwy clòs na diddos,

mae Cwtsho yn air Cymraeg

sy'n disgrifio rhoi môr

o gariad.

Gall fod yn gofleidiad,
neu'n rhywle clyd i swatio.
Ry'n ni angen mwy o eiriau
i fynegu'r cynhesrwydd
arbennig hwn.

Mae cwtsho yn odli
â chofleidio.
Cwtsho yw'n gair bach ni
am fwytho.
Mae cwtsh yn dyner,
yn beth i'w anwylo.

Yn fwy clòs na diddos,

yn llawer cynhesach,

Mae cwtsh yn llond calon o

gariad anwylach. . ...•

Mae pawb angen cwtsho,

Mae pawb angen mwytho.

Pwy hoffai gwtsh?

Codwch eich dwylo!

Mae cwtsh fel cannwyll fach

sydd ynghyn,

Mae cwtsh iawn yn ffitio

fel maneg dynn!

Mae'r cwtsh gorau'n para,

boed gaeaf neu haf,

Daw'r cwtshys anwylaf gan

gyfaill da.

Rhowch gwtsh i ffrind,

anifail neu degan.

Mae cwtsho'n hwyl -

boed yn hogyn neu'n

hogan !

Rhowch gwtsh i'r un lleiaf

a chwtsh i'r un talaf,

a gwneud iddynt deimlo

yr heulwen gynhesaf !

Gall cwtsh fod yn lle
diogel, Cyfforddus —
does dim angen iddo fod
yn hynod o foethus.

Gall cwtsh fod yn gornel
fach glyd i sysgodi ,
yn rhywle i ti a dy ffrind
rannu stori .

Mae angen cofleidiad pan aiff
rhywbeth o chwith.

Os yw ffrind yn drist,
daw â chysur yn syth.

Cwtsh ydyw'r ateb
wedi i chi syrthio ar lawr,

Ond does dim angen rheswm
i roi un cwtsh mawr.

Cofleidiwch eich ffrindiau.

Mewn cwtsh y mae'r geiriau ...

Dwi'n dy garu di,

Fydda i wastad gerllaw.

Dwi'n dy garu di,

Beth bynnag a ddaw.

Mae cwtsh yn rhywbeth
hudol i'w rannu,
Mae cwtsh yn dangos
ein bod ni'n eich caru.

Bu gwyddonwyr am oriau

bwy gilydd yn cwtsho

er mwyn eu mesur bob

un a'u hastudio.

Yn ôl y gwyddonwyr
a'u harbrofion cemegol,
Mae pob un cwtsh
yn iachus a llesol.

Cofleidio ein ffrindiau

yw'r peth gorau, heb os.

Mae'n ystum o gariad.

Rhowch gwtsh

tyn a chlòs!

Felly rhowch gwtsh i'ch ffrindiau,
un cynnes a chlyd,
A gwyliwch y gwahaniaeth
a wnewch chi i'w
byd.

Fy hoff gwtsh

yw'r un dwi'n ei rannu

â thi,

Dyna sy'n cynhesu fy

nghalon i.

Wrth gwtsho, fel un

y cura ein calon, ••

yn araf a chryf,

a'i churiad yn fodlon.

Felly dere â chwtsh
yn dyner a deddwydd.

Cawn rannu pob cam
o'r daith efo'n gilydd.

Sarah KilBride

Awdur o ardal y Mynydd Du yw Sarah KilBride, ac ymhlith ei llyfrau y mae *Being a Princess is Very Hard Work* a'r gyfres hynod boblogaidd *Princess Evie's Ponies*. Gan iddi ddysgu ysgrifennu â phen ac inc, roedd Sarah wrth ei bodd yn creu'r ffont ar gyfer y llyfr hwn gan ddefnyddio'r plu yn ei chasgliad. Wedi iddi raddio o goleg drama yn y ganrif ddiwethaf, mae Sarah wedi cydweithio â geiriau a phobl ifanc yn ei gwaith fel actores, athrawes ac awdur.

James Munro

Mae James Munro wedi bod yn tynnu lluniau ers ei fod yn medru gafael mewn pensil. Ers hynny, mae wedi gorchuddio popeth mewn dŵdls – gan gynnwys llyfrau, cylchgronau, bwydlenni a ffilmiau! Mae'n byw mewn pentwr o bapur, naddion pensiliau ac inc yn Lerpwl, ond mae'n fodlon ei fyd yn cael cwtsh ar draeth yng ngogledd Cymru.

Cyhoeddwyd Cwtsho! gan Graffeg yn 2021.

Addasiad gan Anwen Pierce.

Mae cofnod catalog CIP ar gyfer y llyfr hwn ar gael o'r Llyfrgell Brydeinig.

Cyhoeddwyd â chymorth ariannol gan Gyngor Llyfrau Cymru. www.gwales.com

ISBN 9781802580181
1 2 3 4 5 6 7 8 9